My girls

John Peters

My girls

Eine Jugend am Bodensee

© 2020 John Peters

Herstellung und Verlag: BoD – Books on De
mand, Norderstedt

ISBN: 9783752869446

6

Inhalt

Vorwort

Es war elektrisierend. Das Radio gab Töne von sich, die völlig neu waren. Die Beatles. Oder die Rolling Stones. Oder, oder, oder. Diese Zeit Anfang der 60er Jahre brachte eine Vielzahl von Gruppen hervor, die alle diesen Gitarrensound drauf hatten, einen Sound, der eine Zeit einleuten sollte, die unverwechselbar war. Gefühlt war da grenzenlose Freiheit, Ruhm und Geld bedeuteten gar nichts, Rassismus Fehlanzeige. Die Jugendlichen trugen einen Schlabberlook, der Ihnen den Vorwurf „Gammler" einbrachte, Erwachsene bemerkten mit tiefer Verachtung „Negermusik", wenn die Beatles im Radio liefen und beide hatten enorme Probleme, aufeinander zuzugehen. Es gab keine Computer und keine smartphones, dadurch auch kein instagram, twitter oder facebook und in der Folge auch keine Notwendigkeit, sich im Vergleich mit anderen täglich per Video oder Foto zu produzieren. Der Egozentrik fehlte die Plattform.

Die Mädchen waren wenig oder gar nicht geschminkt. Küssen war deshalb kein Problem, ein Makeup konnte darunter nicht leiden. Und: Man sah sofort, wie die Angebetete wirklich aussah.

Und die Mädchen erwarteten nicht nach einem Kuss mindestens den Treueschwur für die nächsten zehn Jahre, längere Beziehungen waren eher die Ausnahme. Trotzdem waren beide Teile hiermit zufrieden und schwebten eher durch's Leben als hindurch zu stampfen, wie heute.

Schule, erste Ohrfeige

Wir waren umgezogen. Von Weilburg an der Lahn nach Radolfzell am Bodensee. Ich war auf dem Weg zum ersten Schultag im neuen Gymnasium. Ich hatte kein gutes Gefühl.

Von der Ostlandstraße aus (wer wohnte schon in einer Straße mit so einem Namen, peinlich) startete ich mit dem Fahrrad Richtung Schule. Fast den gesamten Weg über, vielleicht vier Kilometer, gab es einen Fahrradweg und ich war innerhalb von 15 Minuten da. Von mir aus hätte es heute länger dauern können.

Ein großes, graues Gebäude stand da vor mir, nicht im Stil einer der vielen heute höchst langweiligen Schulgebäude sondern wie eine riesige, etwas schmucklose, heruntergekommene Stadtvilla. Nicht schlecht, dachte ich, es hätte schlimmer kommen können. Ein paar Meter weiter, auf der anderen Straßenseite, ging es zum Untersee, eine ideale Gegend für ein Date. In zweihundert Meter Entfernung war eine Eisdiele. Wie überall gab es dort eine Music-Box mit allen angesagten Songs (Beatles, Rolling Stones, The Who) und zu Zeiten von „Religion" war später dort unser Klassenzimmer.

Ich suchte die Obertertia. Zu meiner Zeit wurde noch die „elitäre" Bezeichnung für die Schuljahre verwendet. Heute wäre es wohl die Neun. Den ersten kleinen Klotzkopf, der vermutlich deutlich jünger war als ich, hielt ich an seine Jacke fest als er bei mir vorbei gerannt kam. „Hey, wo ist die Klasse der Obertertia, Kleiner?" Er hob nur die Schultern hoch und rannte weiter.

Warum haben es kleinere Kinder eigentlich immer eilig?

Dann sah ich das Sekretariat.

„Guten Morgen, ich habe heute meinen ersten Tag hier und würde gerne wissen, wo die Obertertia ihren Klassenraum hat." Die Sekretärin meinte, „da gehsch am beschte in Raum einezwanzig, die habet heut da Kunscht". „Und wie komme ich dahin?"

„Die Treppe rauf, dann links, Raum 21, steht 'dran."

Ich marschierte mit einigen anderen lärmenden Kindern und Jugendlichen die breite Treppe hinauf, öffnete die schwere Tür zu Zimmer 21 und ging rein. Die meisten „Künstler" saßen schon da, den Kopf auf die Hand gestützt, die Augen geschlossen, aber nicht so weit, dass man nicht hätte sehen könnte, wenn „er" kommt. Die Mädchen tratschten miteinander. Es war Montag und es gab wohl einiges Neues zu berichten. Ich setzte mich in die letzte Reihe, neben Bernd, der die nächsten Jahre vielfach mein Banknachbar sein sollte. Dann kam er auch schon. Rohrer – ein offensichtlich mies gelaunter alter Mann, vielleicht 60 Jahre alt mit verknittertem Gesicht und gebeugtem Gang, die Hände auf den Rücken, der Kunstlehrer,

Die anderen kramten ihr Zeug für die Malerei aus der Tasche und begannen, angefangene „Werke" zu vervollständigen. Ich konnte nichts vervollständigen, da ich keine unvollständigen Blätter hatte. Ich hatte noch keinen Stundenplan und wusste deshalb nichts von Kunstunterricht. Rohrer marschierte zwischen den Bänken auf und ab und begutachtete die Werke. Sie sollten alle eine Häuserflucht malen, um Perspektiven zu beherrschen.

„Malt dieses Arschloch rot und blau", brüllte Rohrer auf einmal und strich meinem Banknachbarn und späteren Freund Bernd das Bild mit einem breiten Stift mehrmals durch, so dass der „Künstler" das Ganze noch einmal angehen durfte. Großes Gelächter aus den Reihen. Man hielt sich aber mit der Lautstärke so weit zurück, dass man selber nicht in die Schusslinie geriet, aber doch seinen Spaß hatte.

Vor meinem Platz blieb er stehen und blickte erstaunt auf den Tisch vor mir und grübelte offensichtlich nach, was da nicht stimmte. Kein Zeichenblock, keine Pinsel, keine Farben – einfach nichts. Dann kam sie, die Frage:

„Warum malsch du it?" Eine Antwort hatte er wohl nicht erwartet, denn er schlug mir unmittelbar nach der Frage eine Ohrfeige ins Gesicht, durch die ich fast von der Bank flog.

„Ich bin heute zum ersten Mal hier",
versuchte ich noch zu beschwichtigen, aber
er hörte gar nicht hin und meinte „des, des ,
des , des isch e Unverschämtheit". Er war
Stotterer. Für ihn war die Sache damit aber
erledigt und er machte weiter seinen
Rundgang, um andere Künstler zu fördern.

Das schlechte Gefühl vom frühen Morgen
hatte sich erfüllt. Wenn die anderen Lehrer
auch so waren – ansatzweise würde sich das
genau so zeigen – würde ich an dieser Schule
noch einiges erleben.

Die Klasse

Die Mädchen in meiner Klasse waren nicht gerade Schönheiten. Da waren die dünne Rike, die Streberin und die dicke Sylvia, von denen später mehr erzählt wird. Oder die üppige, blonde Lioba, die regelmäßig nach Korrektur der Mathe-Arbeiten begrüßt wurde mit „Gell, mir saget net, wer´s Fünferle hat, Lioba" und noch zwei andere, an die ich mich dem Namen nach nicht mehr erinnern kann.

Die etwa fünfzehn Jungs konnte ich zuerst nicht ganz einordnen. Nach den Jahren zeigte sich aber, dass die Mehrzahl ganz in Ordnung war.

Da war zum Beispiel „Bäcker", der eigentlich Alfons Reinle hieß. Seinen

Spitznamen hatte er von Klaus. In dieser Zeit trat Mick Jagger von den Rolling Stones mit großkarierten braunen oder schwarzen Hosen auf und wir alle wollten es ihm nachmachen. Ich hatte mir eine durchfall-braune Hose mit schwarzen Karo-Streifen gekauft, Klaus hatte etwas Ähnliches in grau.

Alfons kam aber eines Tages mit einer Bäcker-Hose. Kleine, blaue Pepita-Karos auf weißem Grund. Klaus meinte

„Und was isch jetzt des?" Alfons wusste schon jetzt, dass er nicht ganz das richtig Teil trug, versuchte es aber trotzdem:

„Hah, e Rolling Stones-Hos halt".

„Ah, ′jetzt komm, Mick Jagger hat große Karos, net so′n kleinkariertes Zeugs wie du, hasch′ die von deiner Mutter ′kriegt?"

„Scho, aber mir g′fallts". Abschließend kam dann der Name:

„OK, Bäcker"

Der Name „Bäcker" blieb bis zum Abitur.

Der smarte Klaus, gut aussehend, schwarze Haare, eine Frauentyp halt, hatte einen so elastischen Gang, dass er irgendwann „Gummi" genannt wurde. Mit ihm wurde auch schon einmal die Freundin gewechselt, da er einen ähnlichen Geschmack hatte wie ich.

Neben dem eigensinnigen Bernd, genannt „Mosi", habe ich fast die gesamte Schulzeit gesessen. Der Deutschlehrer Bingesser machte sich einen Spaß daraus, seinen Schülern andere Namen zu geben. Bernd hieß zum Beispiel „Mossi-Brucki", abgeleitet von Mosbrucker. Er weigerte sich aber stillschweigend, zu antworten, wenn er so angesprochen wurde. Der schon erwähnte Alfons Reinle wurde übrigens zum großen Spaß von Bingesser „Säuberle" (in Abänderung von Reinle) genannt.

Und da war der kräftige Alder, dessen Vorname mir entfallen ist, der bei einem Fahrradrennen unseren Bekannten „Jerry" auf seinem neuen, gelben Rennrad mit einem alten Damenrad ohne Gangschaltung besiegte.

Oder Uli Grospitz, mit dem ich damals regelmäßig abhing und der in der Schule stets für unser Vergnügen sorgte, weil der Lateinlehrer fast immer die Klassentür zur jeweiligen Stunde mit den Worten „Grospitz, die Vokabeln" öffnete. Dann wurde abgehört und Uli hatte keine Ahnung. Er war natürlich sicher, beim nächsten Mal keinesfalls dran sein zu können. Das wäre seiner Meinung nach sowohl unwahrscheinlich als auch ungerecht. Dementsprechend lernte er die Vokabeln wieder nicht. Aber entgegen aller Wahrscheinlichkeiten oder Gerechtigkeiten hieß es bei nächsten Mal wieder „Grospitz, die Vokabeln".

S´Hiller Chrischtele

Klong – klong – klong. Das Fahrradpedal stieß bei jeder Umdrehung an den blechernen Kettenschutz. In großem Abstand, da ich sehr langsam fuhr. Ich drehte noch eine Kurve am Ende der Straße des Kindergartengeländes und fuhr im gleichen Tempo zurück. Noch langsamer ging es nicht; ich wäre mit dem Fahrrad umgekippt.

Sie war noch nicht da. Jedenfalls konnte ich sie hinter dem Maschendrahtzaun noch nicht sehen. Ich wollte sie nicht verpassen. Ich war vierzehn und fuhr seit Tagen vor dem Kindergarten in Radolfzell auf und ab und hoffte, sie wiederzusehen.

Dann sah ich sie. Sie war siebzehn, hatte blonde, gelockte, Haare und eine - wie mir schien - traumhafte Figur. Typ Surferin. Heute betreiben die Mädels einen enormen Aufwand, um diesen Look hinzubekommen. Die Haare im oberen Drittel glatt, dann nach unten hin wellig, als wären sie noch feucht, weil man gerade aus dem Ozean gestiegen ist. Ihre Kleider waren irgendetwas zwischen lässig und sexy. Um sie herum tobte eine Gruppe von Kleinkindern im Alter von vielleicht drei oder vier Jahren, mit denen sie lachte. Schon damals fuhr ich voll auf ein Lachen ab, bei dem makellose Zähne präsentiert werden. Nach etwa einer Viertelstunde hatte sie wohl Feierabend und kam heraus. „Na, auf was wartest du denn?"

„Auf dich."

„Wirklich, auf mich?"

„Ja."

„Du kennst mich doch gar nicht."

Ich kann mich nicht erinnern, ob ich darauf erwidern konnte. Eher nicht. Sie ging aber mit und wir marschierten schweigend nebeneinander her zu ihr nach Hause. Das Schweigen war aber in keiner Weise peinlich. Jedenfalls mir nicht. Ich war glückselig. Das vermeintlich schönste Subjekt der Welt lief für die nächsten 20 Minuten neben mir her.

So ging es Tag für Tag bis sie mich irgendwann wie einen alten Bekannten begrüßte. Sie wurde mein erstes Mädchen, von ihr bekam ich den ersten Kuss – nicht mehr. Bis heute ist sie so eine Art Heilige, an die ich mich gerne erinnere.

Ich weiß nicht mehr, wie es kam, dass wir eines Abends zusammen auf einer Bank am See saßen und ich zu meinem ersten Kuss ansetzte. Die Situation hätte nicht romantischer sein können. Ein paar wenige Laternen gaben gedämpftes Licht, vom See her hörte man das Plätschern sanfter Wellen, neben mir ein bildhübsches Mädchen, das bereit war, einen Bubi wie mich zu küssen. Es war ganz schön aufregend.

Die Küsse selbst waren eher ernüchternd. Christel hielt ihren Mund leicht geöffnet, unsere Zungen trafen sich, aber meine bewegte sich unbewusst eher nach dem Motto „Beeilung! Wer weiss, wie lange das geht". Außerdem war mir damals alles zu nass. Die Knutscherei hatte ich mir weniger weltlich vorgestellt. Ihr leichter Mundgeruch tat ein Übriges dazu bei, dass ich dann sogar ein bisschen froh war, als es vorbei war. Auch später wartete ich immer auf den Mundgeruch bei derartigen Situationen. Dennoch ist mir die Erinnerung an diesen ersten Kuss von Christel in guter Erinnerung geblieben. Er ist verbunden mit dem Gefühl der ersten Liebe, die natürlich nichts anderes als eine Art Schwärmerei war. Man "ging" mit jemandem und auch ein gewisser Stolz spielte hier eine Rolle, zumal sie bildhübsch und "wesentlich älter" als ich war.

Wir trafen uns noch einige Male. Ich kann mich noch gut an einen warmen Regentag erinnern, an dem wir zusammen vor ihrem Elternhaus standen, beide völlig nass geregnet waren und uns lange küssten. Sie sah wirklich sehr süß aus wie die Regentropfen über ihr nasses Gesicht in den Kragen ihres Pullovers liefen und da war ich ein bisschen in sie verliebt.

Das Ende begann, als wir uns zum Schwimmen im Strandbad verabredeten. Mein Freund Bernd brachte eine bildhübsche neue Flamme mit. Sie war eine dunkelhaarige, schlanke Schönheit mit einem (für die damalige Zeit) winzigen schwarzen Bikini. Sie war sehr schlank und das Bikini-Höschen deutete enganliegend vieles an, ohne ordinär zu wirken. Neben ihr stand meine Christel mit einem wohl etwas älteren, rot-weißen Zweiteiler, der aufgrund der lockeren Beinausschnitte zum Teil ihre blonden Schamhaare offenbarte. Bernd war von Christel begeistert, ich weniger. Noch in diesem Moment war für mich klar, dass die Zukunft wohl ohne sie verliefe. Ich glaube, ich habe mich einfach nicht mehr bei ihr gemeldet und auch sie tat nichts Bedeutendes, um den Kontakt zu halten. In dieser Zeit war keiner von uns auf eine langfristige Beziehung aus.

Schule, Teil 2

Wie „amüsant" die Schule am Bodensee sein konnte, hatte schon die erste Stunde „Kunst" offenbart. Aber auch „Musik" war durchaus bemerkenswert. Der Musiklehrer, ein hagerer, großer Mann ohne eine Spur Humor, liebte es, die Musikanten in jeder Stunde auf eine Art Bühne zu holen.

„Es trägt vor …" begann es immer. „Der Klaus! Komm hoch auf die Bühne." Wer jetzt schadenfroh lachte, hatte die Ohrfeige schon sicher. Langer, der Musiklehrer, stürmte von der Bühne herab zu dem „Störenfried", holte weit aus und schlug zu. Wenn er den Lacher nicht auf Anhieb ausmachen konnte, musste auch schon einmal ein Zufallsopfer daran glauben. Dann bekam eben der Nachbar dir Ohrfeige.

Der auserwählte Künstler musste das jeweils vorgegebene Lied vortragen, also singen. Da es sich immer um klassische Stücke oder Volkslieder handelte, konnte keiner von uns zur Zufriedenheit von Langer singen. Wer allzu schlecht ablieferte, musste überdies mit einer Ohrfeige rechnen, da Langer davon ausging, man würde absichtlich schief singen, um ihn zu ärgern.

Aber auch die anderen, die gerade nicht „dran" waren mussten aufpassen. Man durfte keinesfalls über den gerade falsch singenden lachen! Und wenn Lachen strikt verboten oder verpönt ist, wie bei Beerdigungen oder in der Kirche, gehört schon eine große Portion Selbstbeherrschung dazu, dem Drang nicht nachzugeben. Demgemäß wurde in jeder Musikstunde im Publikum gelacht - und geohrfeigt. Letztlich waren Sänger und

Zuhörer gleichermaßen froh, wenn die Musikstunde ohne größere Blessuren überstanden war.

Ella, Hellen, Susi …

„Hi, heut´ Abend bei mir im Keller, Party. Kommst du?"

„OK. Um wie viel Uhr?"

„Sechs Uhr, wie immer." Jerry feierte einige Male in der Woche eine Party. Es gab Musik, oft Beatles oder Rolling Stones, ein Schlagzeug, das jeder ´mal „bedienen" durfte, genügend zu trinken und - jede Menge Mädchen.

Ich habe bis heute keine Ahnung, woher er die hatte.   Nach Christel begann damit eine stürmische Zeit. Im Alter von vielleicht fünfzehn bis sechzehn wechselten sich die Mädchen wöchentlich, zum Teil auch täglich, ab. Irgendwie mochte ich sie alle, von verliebt sein oder Liebe konnte aber keine Rede sein. Heute weiß ich noch nicht einmal die Namen von denen, mit denen ich mehr oder weniger „heftig ging". An ihre Gesichter kann ich mich aber durchaus alle erinnern.

Es begann mit einem dunkelhaarigen Mädchen auf einer Kellerparty. Sie wollte unbedingt mit mir tanzen und ergriff sofort die Initiative:

„Komm tanzen!"

„Nee, ich hab´ keine Lust."

„Komm´ schon, sei kein Spielverderber."

Es lief ein Lied von den Beatles, ich glaube „All my loving", und alle um uns herum tanzten eng aneinander geklammert zu dieser Melodie, die nur spärliche Bewegungen zuließ. Wirklich tanzen war anders. Ich machte dann mit und war sofort gefangen von der Situation. Eng umschlungen bewegten sich unsere Körper fast auf der

Stelle und nach wenigen Minuten ging der Tanz in eine heftige Knutscherei über. Die Bewegungen wurden spärlicher, unsere Münder aber wurden sehr eifrig. Es war wie ein Rausch.

Ab diesem Zeitpunkt gierte ich nach diesem Gefühl des Kennenlernens eines anderen Körpers, eines anderen Menschen und dieser begehrten Vertraulichkeit zwischen zwei Menschen, die sich mögen und sehr nahe kommen. Das Aussehen oder der Charakter waren zumindest für diesen ersten Akt ohne große Bedeutung. Natürlich waren alle ziemlich hübsche Mädchen, aber enorme Ansprüche wurden nicht gestellt. Der Instinkt trieb mich von einer Begegnung zur nächsten. Bereits der erste Blick entschied über Erfolg oder Misserfolg bei dem jeweils weiblichen Wesen und ich war mir sicher, dass wir uns "treffen" würden. Körbe hat es nie gegeben.

Die dunkelhaarige - oder war es schon ihre Nachfolgerin - hat dann auch ein paar Mal bei uns zu Hause angerufen, ich wollte aber nichts mehr mit ihr zu tun haben und nahm sie nicht an.

Es folgte ein blondes, etwas älteres (vielleicht siebzehn), Mädchen das nur für einige Stunden meine "Gefährtin" war und dies obwohl sie eigentlich einen Freund hatte, der auf der Veranstaltung auch anwesend war. Sie hatte eine Top-Figur, ein hübsches, wenn auch nicht superschönes, Gesicht, schulterlange Haare und ein cooles Auftreten. Wie sie küsste, weiß ich nicht mehr; es scheint nichts Tolles gewesen zu sein, sonst könnte ich mich erinnern. Nachher ging sie übrigens auch wieder mit ihrem festen Freund nach Hause.

In dieser Zeit gab es in jeder besseren Kneipe, die einen größeren Saal hatte, eine Tanzparty mit aktueller Musik oder sogar Livemusik mit aktuellen Rock- oder Popgruppen. Tanzen hieß dabei aber nur „sich

eng umschlungen zur Musik bewegen" mit ausschließlich einem Ziel: Den anderen zu fühlen, küssen oder mehr. Es war völlig üblich, dass unsere Freundinnen auch einmal jemanden aus dem Bekanntenkreis ausprobierten.

So ging es zum Beispiel mit zwei Freundinnen aus einer benachbarten Stadt, ich glaube aus Singen. Ich freundete mich mit der einen blonden an, mein Freund Jochi übernahm die andere.

Beide waren sehr zierliche Mädchen, die sich ähnlich sahen wie Zwillinge und sicher als kleine Schönheiten bezeichnet werden konnten. „Meine" Hellen war die ein wenig Größere. Sie war – wie zu dieser Zeit üblich – extrem schlank, hatte eine tolle Figur und ein ebenmäßiges Gesicht mit blauen Augen. Über einen Zeitraum von vielleicht vier Wochen trampten wir jeden Tag nach Singen, um die beiden zu treffen. Der Tag und der Abend wurde ausschließlich mit Knutschen und etwas mehr zugebracht. Hellen konnte wirklich gut küssen, war aber nicht gerade die leidenschaftlichste (genau wie später ihre Alternative Ella). Ich glaube, die Unterhaltung zwischen den Mädchen und uns hat insgesamt nur Minuten am Tag ausgemacht. Ich wusste von dem jeweiligen anderen Menschen fast nichts. Dies war auch nicht erforderlich. Besessen von dem Wunsch nach dem Hochgefühl des Ineinander-Versinkens war die Freundin lediglich eine Art Medium und jederzeit austauschbar.

Was wir auch praktizierten. Nachdem eine gewisse Gewöhnung eintrat, tauschten wir einfach unsere Partnerinnen und fingen neu an. Die Mädchen spielten wie völlig selbstverständlich mit, offenbar fehlte auch ihnen der "Kick" des (vermeintlichen) verliebt Seins, die Erregung des ersten Kennenlernens.

In dieser Zeit kam ich aus diesem Taumel der Sinne nicht mehr heraus. Nachdem auch Ella nicht mehr aktuell war, folgte wieder eine hübsche Braunhaarige: ein zierliches Mädchen mit langen Haaren und einem sehr anschmiegsamen Wesen.

Susi.

Ich kann mich noch heute an eine Narbe irgendwo in ihrem Gesicht erinnern, die sie keinesfalls entstellte sondern nur noch attraktiver und liebenswerter machte. Sie war nicht nur sehr hübsch sondern auch der Traum eines jeden Jungen, der den sanften Typ bei Mädchen mag. Wir trafen uns ein paar Mal in einem Weinlokal. Die notwendigen Gespräche verliefen aber sehr schleppend, so dass auch diese Begegnung bald ausklang.

Schule, Teil 3

Dass es sehr rustikal an unserer Schule zugehen konnte, hatte der Kunst- oder Musikunterricht gezeigt. Aber auch in „Deutsch" oder „Chemie" gab es solche Momente.

Rohrer, der Kunstlehrer hatte Vertretung im Fach Deutsch und ließ vorlesen. Das war am einfachsten, so man musste als Lehrer nichts sagen, saß einfach da, brauchte nur anwesend zu sein.

Dachte er.

Dann hätte er aber einen anderen Text aussuchen müssen. Mein Freund Bernd war dran. Es musste einen Text vorlesen aus Shakespear´s „Sommernachstraum", der lautete

Der Felsen Schoß
und toller Stoß
zerbricht das Schloß
der Kerkertür,

Bernd kam aber nur bis „... toller Stoß". Dann brach brüllendes Gelächter aus. In einer Klasse von hormongeladenen Jugendlichen können solche Worte nicht unkommentiert bleiben: „Schoß ... Stoß". Da wirklich jeder lachte, konnte sich Bernd auch nicht mehr zurückhalten und lachte nach dem „Stoß" laut los.

Das wiederum brachte Rohrer auf die Palme. Er kramte einen dicken Stock unter dem Lehrerpult hervor (wann und wie er den da deponiert haben konnte, war ein Rätsel) und stürmte auf Bernd los, der seinen Text und Platz verließ und eilig aus der Klasse nach draußen rannte. Wie es draußen weiter ging, weiß man nicht sicher. Für vielleicht weitere fünf Minuten hörte man auf den Gängen draußen Geräusche von schnellen Schritten und undeutliches Gebrüll von Rohrer. Bernd hat aber die Aktion gesund überstanden.

Ähnlich kurios verlief regelmäßig der Chemieunterricht.

Der Lehrer hier hatte eine Vollglatze und durch seine extrem dickrandige Hornbrille das Aussehen eines Uhus.

Er zeigte auf mich: „Deckert, sag´ uns doch einmal, wonach im Periodensystem der Elemente sortiert wird".

„Ich bin nicht Deckert, ich bin Peters", antwortete ich.

„Ja,ja" kam von ihm. „Des isch jetzt egal, dann halt Peters".

Ich antwortete auf die Frage, wohl zu seiner Zufriedenheit, denn er meinte: „Genau, Deckert, setzen".

So bekam „Kollege" Deckert jahrelang die Noten aus meinen und ich die aus seinen Leistungen. Da wir beide aber in etwa gleich schlecht in Chemie waren, hatten wir nie den Ehrgeiz, alles richtig zu stellen.

Cousine Annelie und Annegret

Ich war sechzehn und bei meiner Oma in Gelsenkirchen zu Besuch. An diesem Nachmittag wollte meine Großmutter ihren Bruder besuchen und weil ich nichts anderes vorhatte, ging ich mit. Nordstrasse 42. Die kannte ich, da in der Nr. 2 meine Cousins wohnten, bei denen ich als Kind öfters „abgestellt" wurde.

Mein Großonkel hatte zu meiner Überraschung eine Tochter, die in meinem Alter war. Sehr hübsch, zierlich, braune Haare, mit Blicken, die vielversprechend schienen. Jetzt saßen aber die beiden Alten dabei und blockierten alles andere. Gegen Abend machte sich dann aber meine Oma auf den Heimweg, wobei ich ihr versprach, nachzukommen. Der Vater der kleinen Schönheit kramte zu meiner Überraschung drei Flaschen Bier heraus und wir hatten noch ein wenig Spaß zusammen. Dann meinte er: „Ich bin müde, ich geh´ ins Bett" und verließ das Zimmer, so dass meine „neue" Verwandte Annelie und ich allein auf der Couch saßen. Haut an Haut, Körper an Körper und nach einem weiteren Bier auch Lippen an Lippen.

Sie küsste sehr intensiv und zu meinem großen Erstaunen hatte ich das Gefühl, ich würde Annelie schon seit Jahren kennen. Sie war mittelgroß, hatte eine tolle Figur und ein hübsches Gesicht mit unglaublich erotischen Lippen. Obwohl ich sie erst vor wenigen Stunden kennengelernt hatte, waren mir ihr Mund und Körper extrem vertraut. Ihre Küsse waren zärtlich, nicht sehr nass und mit einer sehr aktiven Zunge zeigte sie, dass sie keine Anfängerin auf dem Gebiet war. Auch ihre Hände waren mit im Spiel. Sie berührte mein Gesicht oder den Nacken dabei in einer Weise, dass man sich grenzenlos geliebt fühlte.

Aus meiner Sicht eine tolle Begegnung. Sie sollte aber noch durchaus noch problematisch werden.

Am nächsten Tag war eine Party bei meinem Schulfreund Ulrich angesagt. Ulrich war der Zweitälteste einer großen Pfarrersfamilie, die ein großes Haus auf dem Kirchengelände bewohnte. Da waren Michael, ein dicklicher Junge, der Älteste, dann der besagte Ulrich, sein kleiner Bruder Klaus und Annegret, ein süßes, kleines Mädchen mit blonden Locken.

Zur gegebenen Zeit stand ich also bei den Gastgebern vor der Tür und freute mich darauf, meinen Freund wiederzusehen. Wir hatten uns etwa fünf Jahre nicht mehr gesehen. Als dann die Tür geöffnet wurde, gab´s eine Überraschung. Da stand nicht mein Schulfreund sondern eine etwa vierzehn- bis fünfzehnjährige, sehr hübsche blonde Schönheit, die mich anlächelte.

„Schön, dass du kommen konntest", meinte sie und öffnete die schwere Eingangstür komplett.

„Vielen Dank für die Einladung" erwiderte ich ein wenig gehemmt. Die kleine Schönheit kam mir bekannt vor, aber erst nachdem von weiter innen im Haus gerufen wurde

„Wer ist es, Annegret?", erkannte ich sie, die Schwester von Ulrich. Keine Spur mehr von der kleinen Rotzgöre, die ich noch in Erinnerung hatte, aber auch noch nicht die schöne junge Frau, die sie einmal werden würde. Der blonde Lockenkopf war geblieben, nur hübscher. Zwei unglaublich blaue Augen sahen mich erwartungsvoll auf dem Weg in den Partykeller an.

„Ich habe dich fast nicht erkannt", meinte ich verunsichert.

„Wirklich, entgegnete sie, dich habe ich sofort wiedererkannt".

„Klar", „ich hab´ mich auch nicht so verändert, seit wir uns das letzte Mal gesehen haben, oder?" Da stimmte sie zu und meinte „Du bist hoffentlich nicht enttäuscht von mir". „Im Gegenteil, du bist unglaublich hübsch geworden", war meine Antwort. Sie lachte und ich hatte den Eindruck als hätte sie das noch nie gehört und genierte sich bei dem Kompliment ein wenig.

Ich war jedenfalls sehr beeindruckt von ihr und freute mich schon auf den weiteren Abend.

Nachdem auch mein Freund Ulrich und sein Bruder Klaus sowie einige mir fremde Mädchen und Jungs dazu gekommen waren, unterhielten und lachten wir bis zum Abend, wobei ich meine Augen nicht von Annegret lassen konnte. Ich war fasziniert von ihr. Gegen acht Uhr abends wurden dann die passenden Platten aufgelegt, um es noch eine richtige Party werden zu lassen. Vielleicht vier oder fünf Paare tanzten schon eng umschlungen zu „Needles and Pins" von den Searchers und „Yesterday" von den Beatles. Da gab es keinen Unterschied im Musikgeschmack der Jugendlichen am Bodensee und denen im Kohlenpott. Alle waren sie begeistert von dem neuen Sound, der sich im Grunde bis heute gehalten hat.

Dann tanzte ich mit Annegret. Ich umfasste die zierliche Figur meiner neuen Tanzpartnerin ganz leicht; sie war irgendwie zu zerbrechlich, um sie so fest an mich zu drücken, wie ich es sonst mit anderen machte.

Sie legte den Kopf an meine Schulter und sah mich von unten nach oben an, wobei sie ihren Mund leicht geöffnet hatte. Deutlicher konnte man es nicht zeigen. Natürlich küsste ich sie. Sie zitterte ein wenig als sich unsere Zungen trafen und sanft streichelten. Ihre Lippen waren dabei zuerst fast ganz geschlossen bis ich ihr mit meiner Zunge zu verstehen gab, dass es mehr Spaß machen würde, wenn sie den Mund etwas mehr öffnete. So richtig konnte sie es noch nicht, aber das war nicht wichtig. Wichtig war vielmehr das grenzenlose Vertrauen zweier Körper, das so zumindest für einige Augenblicke hergestellt wurde.

Die Zeit verging jetzt wie im Flug. Nach vielleicht einer Stunde Tanzen, Küssen, Berühren und Träumen öffnete sich noch einmal die Tür und ein sehr attraktives Mädchen kam herein.

Annelie.

Ich hatte sie zuerst gar nicht erkannt, wusste auch nicht, dass sie die „Pfarrers" kannte. Sie war wunderschön, wie sie jetzt da stand und mich anstrahlte. Die Zeit stand still. Alle Augen waren auf uns gerichtet als wir uns begrüßten. Alle schienen zu merken, dass wir uns nicht fremd und mehr als verwandt waren. Ich weiß nicht mehr, ob wir uns schon bei der Begrüßung küssten oder doch erst bei unserem ersten Tanz. Es waren jedenfalls sofort ganz andere Küsse als die mit Annegret. Vertraut, tief, sehr erotisch. Mit ihr tanzte ich auch anders, sehr viel enger als mit Annegret. So eng, dass ich ihr Schambein und ihre Brüste spürte.. Wer uns zusah, konnte kaum auf die Idee kommen, dass wir verwandt waren.

Annegret hatte ich vergessen. Den Gedanken an die sicher verletzten Gefühle, die jetzt alles beherrschten, unterdrückte ich so gut es ging.

Es endete wie befürchtet werden musste: Annelie wurde nach einer Ansprache von Michael, dem ältesten der Brüder, der möglichweise selbst ein Auge auf sie geworfen hatte, verabschiedet. Er warf sie 'raus. Die kleine Annegret weinte für sicher eine Stunde zu Recht in den Armen eines ihrer Brüder, ich hatte das Gefühl, mindestens ein Schwerverbrechen begangen zu haben und versuchte sie zu trösten. Nach vielen Beteuerungen ließ sie sich doch noch einmal küssen, aber der Abend war einfach versaut, mein Ansehen bei den Pfarrers-Brüdern dahin. Aus heutiger Sicht bedauere ich meine Rücksichtslosigkeit zutiefst, bin aber unsicher, ob der Abend anders verlaufen würde, wenn die Zeit zurückgedreht werden könnte.

Beide Mädchen habe ich nie wieder gesehen.

Die rothaarige Anna

Anna war atemberaubend. Ich sah sie fast jeden zweiten Tag mir auf der Straße entgegenkommen. Sie war groß, schlank, ein wenig älter als ich mit langen rotbraunen Haaren und einem unglaublich schönen Gesicht. Schon wenn sie mir auf der anderen Straßenseite entgegenkam, stieg mein Puls und ich spürte von weitem die Erregung, die sonst nur bei größerer Nähe auftrat. Ihr Gang war bewundernswert. Wie ein Model auf dem Laufsteg. Nach einigen Wochen lächelte ich sie einfach an und sie lachte zu meiner großen Überraschung zurück. Nach einigen weiteren Wochen lud ich sie zu einer Party ein, die dann in einem ziemlichen Besäufnis endete, weil wir am gleichen Tag bei der kostenlosen Mitnahme von einigen Flaschen Schnaps erwischt wurden. Die sehr intensive Begegnung mit Anna wurde hierdurch kaum beeinträchtigt, eher noch gesteigert. Sie war die erste (und einzige), die Strapse trug, für mich damals sehr aufregend. Der Funke sprang aber nicht über. An ihre Küsse kann ich mich nicht erinnern, bin nur sicher, dass wir uns geküsst haben. Wir verloren uns nach der Party aus den Augen.

Sabrina und Bettina

In jener Zeit wurden in dem großen Haus des Malers Otto Dix am Bodensee, in Hemmenhofen, bemerkenswerte Partys gefeiert. Ich weiß nicht, ob nur ich es so empfand, aber nach meinem Gefühl kamen diese Partys bacchantischen Gelagen gleich. Die Kellergewölbe des herrlichen Anwesens am See wurden in dunkelrotes Licht getaucht, geschmückt mit schweren Brokat-Stoffen, Köstlichkeiten und Alkoholika ohne Ende wurden verteilt. Das Völkchen dort war ungeheuer schillernd. Vor allem Künstler tummelten sich in den unübersichtlichen Gewölbeteilen. In vielleicht fünf Räumen, die nur spärlich beleuchtet waren, hielten sich jeweils drei bis fünf Personen, auf und beschäftigten sich miteinander. Keiner kümmerte sich um den anderen, außer um den direkten Kontakt zum eng umschlungenen Gegenüber. Viele der Paare trugen Masken, wie man sie in Filmen oft sah. Weiße oder silberne Masken mit schönen Gesichtern, aber reglosem Ausdruck. Diese Masken machten die Situation noch unwirklicher, zumal außer der leisen Musik aus dem Nirgendwo kein Ton zu hören war.

Dort traf ich auch die hübsche, braunhaarige Schweizerin, mit der schon nach einigen Minuten eine heftige Knutscherei begann. Sie war ein Mädchen mit toller Figur und sehr hübschem Gesicht. Ihr unglaublich schöner Mund mit den ebenmäßigen, weißen Zähnen war unwiderstehlich. Wir waren der Wirklichkeit völlig entrückt und nahmen nur aus den

Augenwinkeln das Treiben rings um uns her wahr. Ihr Gefährte war mit jemandem anderen beschäftigt. Ungewöhnlich waren auch die Gespräche mit diesem Mädchen. Da ich ihren Schweizer Dialekt nicht verstand, unterhielten wir uns in Englisch. Dies trug ebenfalls dazu bei, dass das Ganze an diesem Abend einen traumhaften Charakter erhielt.

Bei einem meiner Gänge draußen vor dem Haus traf ich die Enkelin des Malers, Bettina. Otto Dix Hatte seine Enkelin nach dem frühen Tod ihrer Mutter adoptiert, deshalb spielte sie eine spezielle Rolle in diesem Haus. Weder ihr Aussehen (sie war ein kleines, blondes Pummelchen) noch ihr Charakter hatten mich jemals angesprochen und trotzdem kam es zu einer etwas intensiveren Begegnung. Wir gingen nach draußen und auf der Südseite des riesigen Hauses mit Blick auf den Bodensee haben wir im Mondlicht ein bisschen geknutscht. Zu dieser Zeit war bei uns allen das Leben ausgerichtet auf einen Sinnestaumel, der ausschließlich mit dem anderen Geschlecht erreichbar war.

Wie selbstverständlich für beide trennten wir uns nach wenigen Minuten und Bettina verschwand in der Dunkelheit. Wir trafen uns nie wieder und hatten auch nicht den Wunsch danach.

Das Ende dieser Party war so gegen sechs Uhr morgens erreicht und ab da waren auch die Gefährtinnen der Nacht nicht mehr Gegenstand weiterer Gedanken. Wir liefen trunken vom Wein, Bier und den Ereignissen der Nacht quer durch das Künstler-Atelier, wo ohne unsere Ahnung, aber auch ohne unser Interesse, etliche Millionenwerke hingen, auf einen der Stege des Bodensees hinaus und tranken die letzte mitgenommene

Flasche Whisky aus. Wie immer bei diesen Arten, eine Party zu beenden, nämlich bis zum Morgengrauen weiterzumachen, erlebt man einen ganz speziellen neuen Tag. Die Wirklichkeit war weit weg, verdrängt von den Eindrücken der letzten Nacht, aber ohne einen Gedanken an die Gefährtin der Dunkelheit. Der See lag da in einem hellen Grau, bestimmt von den kargen Nebelschwaden über dem wellenlosen Wasser als würde er die gedankenlose Stimmung des Morgens nachbilden wollen. Niemals habe ich das Leben so intensiv gespürt, wie in diesen Momenten.

Die Indianerin

Ob sie wirklich Indianerin war, weiss ich nicht. Eher nicht. Aber ich war absolut fasziniert von dieser Schönheit. Sie lief mir manchmal auf der anderen Straßenseite entgegen und ich hätte schon auffällig zu ihr ´rüber laufen müssen, um sie einzuholen. Wenn man hier von einem rassigen Gesicht sprechen würde, wäre dies untertrieben. Schwarze Haare rahmten ein von der Sonne oder der Abstammung gebräuntes Gesicht ein, das an Schönheit kaum zu überbieten war. Sie lief nicht, sie schritt den Weg entlang. Ihr Körper hätte nicht perfekter sein können – schlank aber nicht dünn, groß, aber nicht zu groß, sportlich, aber nicht zu muskulös. Blöderweise fiel mir nicht so schnell ein, wie ich sie ansprechen könnte. Vielleicht treffe ich sie später noch einmal, dachte ich. Ich sah sie nie wieder.

Maja in Singen

Eine der bemerkenswertesten Begegnung ereignete sich an einem Sonntag in dieser Zeit. Ich hatte gerade keine Freundin und trampte alleine los, um mich auf einer Veranstaltung, einem Popkonzert in einem der großen Säle, die damals hierfür ausreichten, zu vergnügen. Dazu stellte ich mich an die Ausfallstraße nach Singen und hielt den Daumen hoch als Zeichen dfür, dass ich gerne mitgenommen würde. In diesen Jahren war Trampen völlig normal. Die Wege nach Singen, Konstanz oder Hemmenhofen wurden zwar auf diese Weise ziemlich lang, aber machbar. Nach höchstens fünfzehn bis dreißig Minuten „Standzeit" waren wir in irgendeinem fremden Auto in Richtung unseres Ziels.

An diesem Tag spielten Die „Lords" oder die „Rattles" dort in einem großen Saal in Singen. Das Gedränge war groß und alle bewegten sich im Rhythmus des jetzt noch schnellen Beats. Später sollten die langsamen Stücke gespielt werden, auf die ich gewartet hatte.

Von Anfang an strich ich dazu lediglich mit dem Ziel umher, eine „Partnerin" zu finden. Natürlich fand ich sie auch. Es war ein mittelgroßes, dunkelhaariges, sehr hübsches Wesen, das erstaunlicherweise ebenfalls allein unterwegs war. Hier bestätigte es sich, dass die wirklich Schönen öfter allein sind als die nur Hübschen, weil die Jungs sich an die richtigen Schönheiten nicht heran trauten.

Ihre Blicke antworteten auf die ohne Worte gestellte Frage, „wie es denn aussehe", sofort positiv und schon beim ersten Tanz waren sich unsere Lippen und Zungen nicht mehr fremd. Sie küsste sehr intensiv; ihre Zunge berührte sanft meine Zunge und meine Lippen. Es war als ob man die große Liebe täglich neu findet. Im Moment der körperlichen Berührung, der Schaffung dieser ersten Vertrautheit "liebte" ich mein Gegenüber vermeintlich fast grenzenlos. Oder war es nur die Verliebtheit in den Augenblick, das Fallenlassen in einen Sinnesrausch? Gibt es tatsächlich dann diese Unterschiede?

Die schöne Isi

Sie hieß wirklich Isi, es war kein Spitzname oder Ähnliches. Sie war jedenfalls eine dunkelhaarige Schönheit mit ebenmäßigem Gesicht, vollen Lippen, langen Haaren und perfekter Figur. Unsere erste Begegnung fand bei einem Tanzkurs statt. Wir sahen uns über eine Strecke von vielleicht zehn Metern an (bei solchen Tanzkursen saßen sich Mädchen und Jungen an den Wänden gegenüber) und es stand ohne Worte fest, dass wir miteinander tanzen würden. Das alte Hochgefühl des ersten Kennenlernens war wieder da. Ich glaube, dieses Gefühl, diese Erregung, wird nur durch die spätere Erwiderung der Liebe und den Gefühlstaumel hierdurch übertroffen. Wie immer damals "ging man" sehr schnell miteinander. Sie ragte irgendwie aus den schnellen Beziehungen zu dieser Zeit heraus, obwohl es nicht an ihrer Art des Küssens oder sonstigen besonderen Fähigkeiten gelegen haben kann. Vermutlich fand ich sie einfach schöner als die anderen.

Der angesprochene Tanzkurs war in dieser Zeit tatsächlich so etwas wie ein speed-dating. Etwa zehn Mädchen und zehn Jungen hatten pro Kurs die Gelegenheit, ansatzweise tanzen zu lernen oder sich einfach nur kennen zu lernen. Da saßen sie dann auf den unbequemen Holzstühlen. Die Mädchen aufgereiht an der einen Wand, die Jungen gegenüber an der anderen Wand. Alle gingen blitzschnell ihre Möglichkeiten durch indem die potentiellen Partner an der gegenüber liegenden Wand eingeordnet wurden:

„Die erste, die Dicke, kommt gar nicht in Frage,

die zweite von links ist ist höchstens ein Meter fünfzig groß und hat eine Brille, bitte nicht,

die dritte mit dem furchtbaren grünen Kleid sieht absolut unsportlich aus,

die vierte ist sehr hübsch, aber nicht meine Liga,

die in der Mitte hat wohl eine Gehbehinderung,

die vierte von rechts wäre ok, steht aber auf Alfons,

die dritte von rechts ist super, mal sehen,

die zweite von rechts ist sicher ein Meter achtzig groß und nicht mein Typ,

die ganz rechts geht noch, schauen wir ´mal"

So verbleiben dann auf einmal nur noch wenige Möglichkeiten und zudem musste man schnell sein. Auf ein Kommando spurteten die Jungens los, um eines der Mädchen aufzufordern. Wer zu langsam war, musste die nehmen, die noch übrig war. Ich war dabei relativ entspannt, weil Isi und ich lange vorher verabredet hatten, dass wir miteinander tanzen würden.

Lustig war es aber schon, wenn man bei dem Kommando, den Partner aufzufordern, die rennenden Jungs beobachtete. Nicht alle konnten ihr Vorhaben, eine bestimmte „Tänzerin" zu erobern, realisieren. Wenn sie merkten, dass sie zu spät kommen würden oder aber die gewünschte Partnerin nicht wollte und den Kopf schüttelte, standen sie ratlos da und sahen sich verzweifelt um. Meistens gab es auf der anderen Seite aber *noch* so einen Kandidaten bzw. eine Kandidatin, der oder die noch kein Pendant gefunden hatte und alles ergab sich dann. Irgendwo in dem Saal gab es jemanden, der allein und zutiefst erniedrigt, darauf wartete, ausgewählt zu werden.

Ich war dabei Isi durchaus dankbar, dass ich dieses erniedrigende Ritual nicht mitmachen musste, im Gegenteil eher beneidet wurde, weil Isi zu den Schönsten dieses Tanzkurses gehörte. Auch wenn es sich sehr spießig anhört, machte die Veranstaltung deshalb durchaus auch Spaß, endete aber leider vor dem Abschlussball, da mitgeteilt wurde, ab sofort dürfe nicht mehr in Jeans getanzt werden. So etwas konnte ich mir nicht gefallen lassen und beendete sofort den Kurs, wissend, dass Isi jederzeit einen anderen Tanzpartner haben konnte. Sie musste dann den Abschlussball mit meinem Freund Uli bestreiten, der sein Glück kaum fassen konnte und bis heute nicht weiß, wie das kommen konnte.

Ich hatte mir gerade einen neuen Fotoapparat gekauft, eine zweiäugige Rolleiflex, für die ich mehrere Wochen gearbeitet hatte. Tag- und Nachtschicht. Wer das auf Dauer macht, hat meinen vollen Respekt. Isi war da natürlich ein willkommenes Model und so trafen wir uns etliche Male am See auf der Halbinsel „Mettnau", am so genannten „Urkundenhäuschen", um ein paar Porträt-Aufnahmen von ihr zu machen.

Sie war dabei ein durchaus geeignetes und talentiertes Medium. Geduldig und den kurzen Anweisungen folgend setzte sie sich so gut in Szene, dass durchaus einige tolle Fotos dabei „herauskamen". Ihr ebenmäßiges Gesicht war ohne Fehler. Große, braune Augen, eine gerade, schmale Nase und volle Lippen prädestinierten sie als Fotomodel und ich war ein bisschen stolz, so eine Freundin zu haben. Die Fotos gab´s in schwarz-weiß, weil es ja künstlerische Bilder sein sollten. Und tatsächlich waren einige davon sehr brauchbar. Wegen der hohen Kosten – es handelte sich um analoge Filme im Format 6 x 6 – konnte ich allerdings nicht so viele Fotos produzieren, wie ich wollte. Die Kosten bei der Entwicklung der Negative trugen dazu bei, dass nur eine begrenzte Anzahl von Bildern gemacht werden konnte. Die vielleicht zehn Fotos von Isi „überlebten" in irgendeiner Schachtel mit Fotos von Freundinnen, die von meiner Mutter, später von meiner Frau, entsorgt wurde. Welche Frau will schon ihre Konkurrentin im Haus haben, wenn auch nur als (meist weniger gute) Fotografie. Und: Mädchen auf Fotos altern im Gegensatz zur Betrachterin niemals.

Isi war im Übrigen eine leidlich gute Küsserin, ihr fehlte aber die Leidenschaft, um wirklich bei den besten mitspielen zu können. Ihre schönen, vollen Lippen entschädigten dann aber für ihre Passivität. Sie wartete geduldig darauf, geküsst zu werden und machte dann auch „artig" mit, von ihr ging die Aktion aber fast nie aus.

Sie war auch die erste, die ich ins Bett bekommen habe. Ich wusste nicht, dass es so einfach sein konnte. Ich fragte sie, ob sie noch mit mir nach Hause käme, sie sagte ja und so passierte es. Ich weiß noch exakt, wie wir uns bemühten, die knarrende Holztreppe zu meinem Zimmer unter dem Dach möglichst geräuscharm zu überwinden. Im völligen Dunkel zogen wir uns aus und legten uns ins Bett. Das folgende war eine einzige Katastrophe (zumindest für mich). Böse auf mich selbst und sie wegen der

„unterlassenen Hilfeleistung" ließ sie allein nach Hause gehen. Dafür hasse ich mich heute noch.

Sie hat sich dann allerdings kurze Zeit danach mit meinem Freund Klaus getröstet. Dennoch habe ich bis heute ein schlechtes Gewissen wegen meines miesen Verhaltens ihr gegenüber. Sie hatte es nicht verdient!

Die junge Susanne

„Na, kommst du mit?", fragte ich sie.

„Wohin denn?" entgegnete sie.

„Es gibt eine Party drüben in der Realschule".

„OK.", meinte sie und wir marschierten los.

Auch sie war nur ein sehr kurzes "Intermezzo" und eigentlich empfand ich wenig für sie. Tatsächlich strolchte sie ein paarmal hinter mir her, wenn ich gerade unten am See war und lächelte mich ohne ein Wort einfach nur an. Sie kam aus einem der moderneren Häuser, die nach dem Strandbad auf der Mettnau gebaut wurden und sollte nicht ganz dumm oder ungebildet gewesen sein. Rote, lockige Haare rahmten ein von

Sommersprossen übersätes, aber hübsches Gesicht ein, das auf jeden Fall sehenswert war. Eine weibliche Figur gab es nur in Ansätzen; dafür war sie einfach noch zu jung.

Wahrscheinlich war ich nur geschmeichelt durch die Anhimmelei einer (zum ersten Mal) viel Jüngeren. Ich war vielleicht sechzehn, sie vierzehn. Ihre Küsse waren schmallippig und unbeholfen und ich hatte nicht das Gefühl, sie wäre meine Freundin. Nennenswert in Erinnerung sind mir von ihr nur ihre roten Haare, ihr schönes Gesicht und meine grausame Art, sie abzuservieren.

Unterwegs trafen wir Isi und meinen Freund Klaus, die beide auch zu dieser Veranstaltung marschierten. Isi hatte sich mit dem „Star" unserer Truppe getröstet. Klaus war eindeutig bei den Mädchen die Nr. 1 und jetzt „übernahm" er zum ersten mal eine

Freundin von mir. Bisher war es eher umgekehrt.

Als ich die beiden so sah, wurde ich tatsächlich noch einmal ein bisschen eifersüchtig. Isi sah toll aus und das kleine unschuldige Mädchen an meiner Seite, Susanne, konnte da nicht mithalten.

Ich ließ sie noch auf dem Schulfest fallen.

Eva H.

„Was machst Du heute?", meinte Uli.

„Ich treff´ mich mit Eva", antwortete ich.

„Ich komm´ mit", meinte er fast schon überflüssigerweise. Er kam immer mit. Und ich fand es gut, weil allein trampen, und das war die einzige Möglichkeit für uns, kostenlos und variabel größere Entfernungen zu überbrücken, war nicht so toll.

„Um wie viel Uhr", fragte er noch.

„Wie immer, um zwei", sagte ich und ging kurz nach Hause, um zu essen und mich dann auf den Weg an die Straße fürs Trampen zu machen. Uli stand schon da an der Ausfallstraße nach Hemmenhofen.

Die Begegnungen mit ihr am See sind mir noch in sehr guter Erinnerung. Aus der

Bekanntschaft mit Bettina resultierte wiederum die Freundschaft - und in diesem Fall war es wohl wirklich eine - mit Eva. Wir trafen uns immer an derselben Stelle: Auf dem Holzsteg, der in der Nähe ihres Elternhauses in den See hinaus lief. Dort an der Spitze, in etwa fünfzig Meter Entfernung vom Ufer aus, befand sich eine umlaufende Bank, die ideal für Pärchen war.

Sie war sehr hübsch, mit braunen, langen Haaren und konnte außerordentlich gut küssen. Sie wartete nie auf eine Aktion von mir sondern fing von sich aus an, mit ihrem Mund meine Lippen und mein Gesicht zu erkunden.

Ich war wohl ein bisschen verliebt, denn die betreffenden sechs Wochen trampte ich fast jeden Tag mit meinem Freund Uli nach Hemmenhofen zu ihr.

Die Stunden mit ihr vergingen mit pausenlosen Knutschereien, bei denen sich Uli enorm langweilte. Er quengelte jedenfalls spätestens nach einer Stunde, jetzt doch wieder fahren zu wollen.

Wir waren aber so versunken in unsere Gefühle, dass der daneben sitzende Freund völlig vergessen war. Die Zeit verflog und es war, glaube ich, diese Erfahrung, dass ich seit dieser Zeit mit allen Variationen der Knutscherei vertraut war.

Mit Eva testete ich auf einer Party einige Formen des Petting, aufgemuntert durch die völlige Hemmungslosigkeit um uns herum. Zu dieser Zeit war aber diese schiere Körperlichkeit gar nicht das Ziel meiner Wünsche. Mir reichte es völlig, an den Lippen des jeweiligen Mädchens zu kleben und sie insgesamt zu spüren, während der Verstand absolut ausgeschaltet war Allein das

Gefühl zählte. Bei ihr hatte ich zum ersten mal den Mut, den Körper eines Mädchens unter seinen Kleidern zu erforschen. Sie hatte unter ihrem T-Shirt kleine, aber feste und weiche Brüste, die ich streicheln durfte. Eva war für etwa sechs Wochen meine Gefährtin; wie und warum es beendet wurde, weiß ich heute nicht mehr.

Rike

Die Episode mit Rike ist ein typisches Beispiel für fehlgeleitete Gefühle. Friederike war die "Chefin" in unserer Klasse, eine Intellektuelle, die Beste bei den Mädchen und schon damals eine ziemliche Emanze. Sie war weder schön noch vom Charakter her in irgendeiner Weise für mich ansprechend. Typ Celine Dion ohne diese Stimme.

Wir waren - wie es für Abiturklassen üblich war - in Berlin auf Klassenfahrt. Ich weiß nicht mehr genau warum, aber in dieser Woche erschien sie mir (bei einem bestimmten Lied) auf einmal weicher, hübscher zu sein als sonst. Heute denke ich, dass es wahrscheinlich nur ein paar Blicke waren, die sie mir zugeworfen hatte, vielleicht aus Langeweile oder aus einer Laune heraus. Ich war einfach nur geschmeichelt. Die sonst so garstige Rike war bereit, für mich ihre so abweisende Haltung aufzugeben. Ich liebte nicht sie sondern das Sieger-Gefühl.

Die Begegnung war dann auch genau so langweilig wie ich die Person auch sonst immer empfunden hatte. Ich bin sicher, für sie war ich es auch, aber da ich sie noch nicht einmal besonders sympathisch fand, konnte ich nicht aus meiner Haut heraus. Wir saßen auf der gleichen Bank am See wie Christel und ich bei unserem ersten Kuss zweieinhalb Jahre vorher. Aber wie unterschiedlich Stimmungen sein können, auch wenn der Ort dafür derselbe ist. Bei Christel war die knappe Beleuchtung romantisch, hier war es einfach nur dunkel. Bei Christel saß ein begehrenswertes Geschöpf neben mir, das zu berühren, absolute Hochstimmung auslöste. Hier hatte ich keinerlei Lust, sie anzufassen und mein Verstand schrie nur „Lass es vorüber gehen!" Die Küsse waren lustlos, eher trocken, für uns beide war es einfach nur ein Versuch, einmal etwas anderes zu probieren. Es traf der reine Gefühlsmensch auf die reine Vergeistigung; das konnte nicht gutgehen.

Wir hatten uns überhaupt nichts zu sagen. Alle Versuche, auch mit ihr das Rauschgefühl zu finden, schlugen fehl. Nach einigen Tagen sagte sie mir - und sie war das einzige Mädchen, das mir jemals einen solchen Korb gegeben hatte - das es wohl keinen Sinn mehr hätte. Ich war erleichtert, aber auch ein wenig gekränkt.

Der schlimmste Kuss

Sylvia war ziemlich groß, eher dick und eigentlich ziemlich hässlich. Aber es war etwas anderes, das mich bis heute nur mit Schaudern an sie denken lässt.

Ihre Eltern waren irgendetwas Wichtiges und wohnten in einer Villa auf der „Weinburg", einem Viertel für diese Leute. Sie rief mich an und wollte, dass ich bei ihr vorbeikäme, um gemeinsam mit einigen anderen zum Karneval „um die Häuser zu ziehen". Ich hatte mir gerade die Haare gewaschen und hatte nicht die geringste Lust, jetzt noch lange den Föhn zu bemühen. Also setzte ich den Cowboy-Hut auf die nassen Haare, schnallte mir einen albernen Gurt mit einer Spielzeugpistole um und marschierte los. Wie die Frisur aussah nachdem die Haare trocken und der Hut abgesetzt war, kann man sich vorstellen: Auf dem Kopf hatte ich ein kleines Käppchen, geformt aus Haaren, das sich auf keinen Fall mehr dem Rest der Haare anpassen wollte. Ich war deshalb dazu verdammt, den Hut an diesem Tag nicht mehr absetzen zu können.

In dem Haus von Sylvia hatten sich dann auch drei oder vier Freunde oder Freundinnen eingefunden, die spärlich verkleidet waren. Passte zu meinem tollen Cowboy-Outfit. Spätestens da dachte ich nicht mehr an einen lustigen Nachmittag.

Natürlich wurde (wegen Karneval - hieß am Bodensee Fasnacht) auch Schnaps verteilt. Nach drei oder vier Schnäpsen ging Sylvia dann zu Angriff über. Sie drückte sich ohne eine erkennbare Notwendigkeit so sehr an mich, dass kein Junge der Welt aus dieser

Nummer herausgekommen wäre, ohne in der Schule danach für immer geächtet gewesen zu sein.

Also küsste ich sie. Ein schlimmer Fehler! Nach einigen unbeholfenen Zungenbewegungen von ihr erkannte ich das eigentliche Problem. Oder besser: Die eigentlichen Probleme. Sie hatte sowohl extremen Mundgeruch als auch eine ganz besondere Zusammensetzung des Speichels. Ihr Speichel „schmeckte", vielmehr brannte, so sehr wie Essig, dass ich noch lange nach dem Kuss ein Brennen im Mund spürte.

In Erinnerung daran ziehen sich noch heute meine Mundwinkel nach unten, ohne dass ich dies steuern könnte.

Sylvia aber war happy. Ich glaube, es war der einzige Kuss mit ihr und auch das einzige Treffen; in der Schule konnte ich mich aber auch in der Folgezeit blicken lassen.

Von irgendeinem Fassnacht war an diesem Nachmittag erwartungsgemäß nichts zu merken.

Der Weg nach Konstanz

„Kommst du mit nach Konstanz heute?",
fragte ich Uli, der häufig mit von der Partie
war.

„Ha jo, I denk scho", meinte der meistens
und fragte noch

„Wieder in de Scotch-Keller?"

„Weiß ich noch nicht, ich treff da die
Ellen", antwortete ich.

„Kommt d´Marie au mit?" meinte er dann
noch.

„Ich glaub´ schon" antwortete ich und
hoffte, dass es auch stimmte, damit Uli auch
„versorgt" war. Marie war eine Freundin von
Ellen.

„So um drei" hieß es dann und wir
steuerten unser Fahrrad nach Hause, um da

kurz unsere Schul-Utensilien abzulegen. Gegen drei Uhr standen wir dann in Radolfzell an der Straße Richtung Konstanz und einer von uns hielt den Daumen hoch.

Nach Konstanz dauerte es mit dem Auto maximal 30 Minuten. Da wir kein Auto – und auch noch keinen Führerschein – hatten, musste man mit mehr rechnen. Aber auch als Tramper brauchten wir nie mehr als dreißig bis vierzig Minuten von der Ausfallstraße in Radolfzell bis zum Stadtrand in Konstanz. Das Trampen als solches war in den 60ern kein Problem, jedenfalls haben wir es nie so erfahren. Natürlich kostete es ein wenig Überwindung, sich am Straßenrand zu „prostituieren", um von völlig fremden Menschen im Auto mitgenommen zu werden. Wenn man dann Pech hatte, erwischte man einen „Schwätzer", der die gesamte Zeit versuchte einen in ein Gespräch zu verwickeln. Die Autofahrer waren naturgemäß deutlich älter als wir, so dass Fahrer und Tramper keine gemeinsamen Themen hatte. Gespräche waren deshalb eher nervig und wir wechselten uns ab bei den Sitzen. Wer hinten saß, musste sich weniger unterhalten.

Frauen haben uns im Übrigen nie mitgenommen. Ich habe noch nicht darüber nachgedacht, warum eigentlich. Vielleicht hatten sie einfach Angst.

Die Männer, die uns aufgabelten, waren auch (ich denke überwiegend) nicht schwul; sie wollten eher ein wenig Geselligkeit. Ich hatte aber auch keine „Antenne" dafür. Wenn tatsächlich der eine oder andere „Homo", wie man damals sagte, gewesen sein sollte, habe ich es nicht gemerkt (und es war mir auch egal).

Jedenfalls hatten wir keinerlei Hemmungen, auf diese Art zwischen Städten unterwegs zu sein. Für dieses Hochgefühl des vertraut Werden mit einem Mädchen war uns keine Mühe zu viel.

Erste Freundin, Ellen

Sie war meine erste richtige Freundin. Alle davor waren mehr oder weniger Gespielinnen, Hilfsmittel zur Erreichung dieses Glücksgefühls bei Berührungen zweier Menschen, die sich mögen. Bei Ellen war es anders. Ellen war eine mittelgroße, sehr hübsche Blondine mit graugrünen Augen und einem schönen Mund. Sie war eines der anschmiegsamsten Mädchen, die ich kannte. Von ihr kam nie ein lautes Wort, nie irgendeine Boshaftigkeit. Sie war eine der zärtlichsten Freundinnen, die ich je hatte. Bei ihr war es nicht mehr der reine Sinnesrausch, den ich liebte sondern die Person, das Mädchen selbst.

Kennengelernt hatte ich sie als wir mit einer Gruppe von Jungs und einigen Mädchen unterwegs waren. Ich glaube, die Mädchen kamen alle aus Singen und wir zogen mit ihnen um die Häuser.

Zuerst hatte ich mich mit einer sehr netten Braunhaarigen angefreundet, die allerdings eine furchtbare Stimme hatte. Dieses Piepsen störte mich so sehr, dass ich sie nach einem Tag doch lieber umtauschen wollte. Hier kam uns die seinerzeitige Freizügigkeit sehr entgegen. Keiner war sehr betroffen, wenn eine Liebelei beendet wurden.

Ellen hatte die schönste Stimme von allen und sah sensationell aus. Blonde, lange Haare, eine kleine Stupsnase und eine Bombenfigur. Sie war Bassgitarristin und spielte oft in Konstanz mit ihrer Gruppe. Ich hatte sie lange Zeit nicht spielen gesehen. Als ich dies einmal nachholen wollte, kam ich in dem Gedränge in dem Saal, wo sie spielte, kaum an sie heran. Vor der Bühne angekommen, war ich fasziniert. Meine schöne Freundin war Mitglied einer Pop-Gruppe und begeisterte die Zuschauer. Vor lauter Lärm konnte ich zwar kein Stück erkennen, aber ich glaube, es handelte sich um Cover-Versionen der bekannten songs.

Ich bewunderte sie. Einerseits war es sehr selten zu dieser Zeit, dass Mädchen Gitarre spielten und andererseits kannte ich keine Band, in der eine Frau spielte. Ich fand sie auch deshalb toll.

Mit Ellen verbrachte ich vielleicht zwei Monate. Die größte Zeit davon verging in einer Disko in Konstanz, in die wir ab sechs Uhr abends einfielen und die wir um elf wieder verließen. Ganz oft war mein Freund Uli dabei. Wenn wir zusammen vor der Disko im Strandbad in Konstanz waren, gingen die Mädels nach Hause, um sich umzuziehen. Wir zwei wollten aber nichts extra nach Radolfzell zurück trampen, nur um unsere nassen Sachen zu wechseln. Stattdessen zogen wir uns vor der Tür der Disko um; gelegentlich erwischte uns dabei auch irgendein Hausbewohner, wenn wir dort halbnackt eilig ein paar trockene Sachen anzogen. Das heißt, wir mussten immer vor sechs Uhr da sein, weil um achtzehn Uhr der Scotch-Keller öffnete und dann unsere Umzugsgelegenheit weg war.

Ellen kam dann irgendwann nach sechs dazu. Wir saßen dann stundenlang an einem der Tische bei einer Cola, die nur sehr sparsam getrunken werden durfte, weil eine zweite nicht „drin" war. Die Zeit verbrachten wir mit unzähligen Küssen bei emotionsgeladener Musik, wie „girl" von den Beatles oder „The Last Time" von den

Rolling Stones. Sie konnte sehr gut küssen und die drei bis vier Stunden, in denen wir zusammen waren, vergingen wie im Flug. Fast immer saßen wir die ersten Stunden allein in der Disko; voller wurde es erst ab circa neun Uhr abends. Wir nahmen aber unsere Umwelt auch kaum war, wenn wir dort zwischen den Küssen kaum Luft holten. Das spärliche rote Licht, das jedem Gesicht extrem schmeichelte, trug einiges dazu bei, dass ich mich jedes Mal wieder neu in sie verliebte an diesen Abenden. Insbesondere ihr schöner Mund machte sie immer wieder auf's Neue zur Traumfrau. Ihre Figur spielte – aus heutiger Sicht erstaunlich – keine Rolle. Sie war sehr schlank, hatte eine Top-Figur, es zählte damals aber fast nur Gesicht und Charakter.

In dieser Zeit wohnte ich geradezu im Scotch-Club. Viele der damaligen Besucher waren uns aufgrund der häufigen Anwesenheit so gut bekannt, dass es fast Freunde waren. Die übrige Zeit verbrachten Ellen und ich mit Freunden im Strandbad oder auf sonstigen Feiern. An Ellen war eigentlich nichts auszusetzen, außer vielleicht, dass sie ein wenig langweilig war, ohne Ecken und Kanten.

Möglicherweise aber konnte ich sie aufgrund der sehr kurzen Zeit nur nicht ganz kennenlernen. Die ihr entgegengebrachten Gefühle waren jedenfalls schon mehr als der bisher kurze Rausch der Vertrautheit zwischen zwei Menschen. Sie waren dauerhafter, beständiger und mehr in Richtung Freundschaft angelegt. Ich freute mich immer auf die Zeit mit ihr, konnte mich durchaus fallenlassen, wenn wir zusammen waren, wobei die Glücksmomente dann auch vorhanden waren. Aber es fehlte die

Leidenschaft. Ich vermute, dass sie körperlich oder wesensmäßig nicht ganz meinem Wunschtraum von einer Frau entsprach und insofern unbewusst der Gefühlsfluss blockiert wurde.

Die Beziehung zu Ellen wurde abrupt beendet, als ich meine erste große Liebe, Christina, traf.

Christina

Sie war meine erste große Liebe und ihr
virtuelles Bild ist ein wenig verblasst als
hätte es die Farbe verloren, weil ich zu
häufig an sie gedacht hatte. Es war in
Konstanz nach einem Diskobesuch. Wir
zogen noch ein wenig "um die Häuser" und
landeten vor irgendeinem Gebäude, in dem
schwedische Austauschschüler feierten. Die
Feier war schon so ziemlich am Ende und
nur noch einige vergnügten sich dort. Durch
die bodentiefen Fenster sah man vielleicht
zehn Jugendliche, die sich nach einer nicht
erkennbaren Musik bewegten. Darunter war
ein auffällig schönes Mädchen, das wie ein
Derwisch umhersprang. Sie wirbelte ihre
langen Haare wild umher und schien sich

ganz der Musik hinzugeben. Mein Freund Klaus schaffte es irgendwie, mit dieser Schönheit dort in Kontakt zu kommen.

Christina.

Sie war nicht allzu groß, hatte sehr lange, dunkelblonde Haare und das schönste Gesicht, das ich bis dahin gesehen hatte. Ich war sofort von ihr gefangen. Innerhalb weniger Sekunden hatte mein Unterbewusstsein das Bild von meiner Traumfrau mit ihr verglichen und eine sehr hohe Übereinstimmung gefunden.

Nach ein paar Minuten kam auch ich mit ihr in Kontakt und wir tanzten zuerst ohne viele Worte miteinander. Ich war selig. Alles um mich herum war vergessen - obwohl Ellen dabei war - alle meine Sinne waren nur auf Christina gerichtet. An diesem Abend begann meine erste große Liebe. Wir waren mitten auf der Tanzfläche total ineinander versunken und registrierten nichts um uns herum. Sie war mein absoluter Traum. Ich war von ihrem schönen Gesicht und ihren langen Haaren gefangen. Auch sie hatte die wunderschönen Zähne, die mich bei Frauen immer wieder anzogen. An diesem Abend traute ich mich noch nicht, an mehr als eine schöne Begegnung zu glauben. Ich hatte vielmehr fast Panik, sie nie wiederzusehen, da wir nur etwa eine Stunde Zeit miteinander hatten. Wir verabredeten uns aber für den nächsten Abend.

An diesem Abend kam ich sehr spät nach Hause (und bekam entsprechenden Ärger). Wie Ellen oder die anderen nach Hause gekommen sind, weiß ich nicht. Ich glaube, alle mussten auf mich warten, weil ich mich nicht von Christina trennen wollte.

Dann traf ich sie wieder.

Im Scotch-Keller, unserem damaligen zweiten Zuhause. Zuerst sah ich sie gar nicht. Dann erkannte ich sie am anderen Ende der Disko. Sie lachte und küsste gerade - und zwar für meine Begriffe sehr innig - einen Jungen, den ich nicht kannte. Nach ein paar Minuten kam sie, immer noch lachend, zu mir. Sie war offensichtlich sehr froh, mich zu sehen, denn sie begrüßte mich ganz überschwenglich. Diese Fröhlichkeit wurde von mir aufgrund meiner Beobachtungen nicht erwidert, sie war hierüber aber sehr erstaunt und sie erklärte, dass sie nur einen Freund verabschiedet hätte und sonst nichts weiter mit dem Jungen hätte. Es fiel mir sehr schwer, das zu akzeptieren, denn ich war schon zu dieser Zeit sehr in sie verliebt. Offensichtlich war aber bei den Schweden die Freizügigkeit bei Freundschaften oder mehr noch größer als bei uns.

Zufällig war auch Ellen, die zu diesem Zeitpunkt noch nichts von Christina wusste, an diesem Abend hier. Sie sah uns miteinander tanzen und knutschen. Für sie musste eine Welt zusammengebrochen sein. Mir war dies - und heute bedaure ich es zutiefst - völlig egal. Es zählte nur der Rausch des Augenblicks und die Seligkeit einer neuen Liebe.

Ab da begann eine Zeit voller Glück und Zärtlichkeit. Christina und ich waren zu jeder verfügbaren Stunde zusammen. Schon ab vier, fünf Uhr am Nachmittag machte ich mich auf den Weg zu ihr und verbrachte fast jeden Tag bis in die Nacht mit diesem Mädchen. Ich weiß heute nicht mehr genau, was wir alles zusammen unternommen haben, aber in der Hauptsache waren es wohl gemeinsame Besuche von Discos und Veranstaltungen, auf der wir ungeniert miteinander beschäftigt sein konnten. Ihre Küsse waren perfekt: Nicht zu trocken, nicht zu nass, ihre Zunge berührte meine Zunge, aber auch meine Lippen, sie ging dabei sanft und ohne Eile vor. Zu gleicher Zeit streichelten ihre Hände mein Gesicht und meinen Nacken.

Mich beschäftigte kaum ein anderer Gedanke als der an Christina und ich fühlte mich einsam ohne sie, mit ihr wie der glücklichste Mensch auf der Erde.

Christina war die Erste, bei der die Erotik eine (winzige) Rolle spielen sollte. Wir saßen auf einer Bank mitten in Konstanz und ich ließ meine Hand erstmals von ihrem Oberschenkel aus auf der Hose nach oben gleiten. Zu meinem Bedauern hielt sie aber sofort meine Hand fest und blieb auch nach einem weiteren Versuch bei ihrer Meinung: Bis hier und nicht weiter. Ich akzeptierte sofort. Sex war in dieser Zeit komplett nachrangig.

Dann kam der Abschied, der immer wie ein Damoklesschwert über uns hing. Sie fuhr zurück nach Schweden. Dieser Moment des Verlassens ist mir noch heute in genauer Erinnerung. Ihre Klassenkameraden saßen bereits lange im Bus und wir zogen den Abschied bis auf die letzte Minute hinaus. Die nicht enden wollenden Küsse auf der Straße vor dem Bus waren begleitet von einer Gewissheit auf ein Wiedersehen, die ich heute nicht mehr nachvollziehen kann. Wir wollten offensichtlich damals nicht erkennen, dass es ein Abschied für immer war. Bis auf einige Briefe war es dann auch nur die Erinnerung an sie, die übrig blieb. Dennoch wollte ich die Begegnung mit Christina nicht missen. Trotz des Schmerzes, der voraussehbar war wegen der Sicherheit des Abschiedes, war sie für mich nur positiv. Die Erwiderung der Liebe, das damit verbundene absolute Vertrauen, schafft offensichtlich diese Glückseligkeit, die in jeder Liebesbeziehung gesucht wird.

Romy

Es war bei einer Kellerparty von "Bud". Christina war einige Wochen vorher nach Schweden zurückgekehrt und ich befand mich in einer Depressionsphase. Zum ersten Mal danach interessierten mich wieder Mädchen. Unserem Bekannten Jerry fiel auf, dass ich mich intensiver mit seiner damaligen Freundin beschäftigte, einem hübschen, zierlichen Wesen mit schwarzen kinnlangen Haaren, das sich durchaus zugänglich zeigte. Um größeres "Unheil" abzuwenden wies er mich darauf hin, dass ich „doch Besseres" haben könnte.

Romy.

Sie war mir natürlich schon weit vorher aufgefallen: Ein zurückhaltendes Mädchen mit kürzerem braunen Haar, einem schönen

Gesicht und guter Figur. Sie war nicht der Typ, der auf Jungen zuging. Sie musste man erobern. Zwar habe ich hinterher erfahren, dass sie mich schon seit langem "gut fand", jetzt musste ich aber erst einmal das erste Eis brechen. Damals war das nicht besonders schwer. Man forderte ein Mädchen zum Tanzen auf und war sofort in körperlichem Kontakt. So auch bei Romy. Ich glaube, ich habe mich noch am gleichen Abend in sie verliebt.

Seit diesem Tage waren wir fast ununterbrochen zusammen. Es war die zweite große Liebe innerhalb weniger Wochen und sie hält bis zum heutigen Tage – viele Jahrzehnte danach. Alle Probleme, die während dieser Zeit aufgetreten sind, sind eigentlich unbedeutend angesichts der tiefen Liebe, die ich ihr gegenüber immer noch empfinde. Der Rausch des neu

Kennenlernens war allerdings beendet und wurde ersetzt durch ein tieferes, beständigeres Gefühl.

Lightning Source UK Ltd.
Milton Keynes UK
UKHW022046201220
375593UK00004B/97